Effie

Beverley Allinson  Barbara Reid

Texte français de

Christiane Duchesne

Scholastic Canada

Conception graphique: Many Pens Design Ltd.
Photos de Ian Crysler

Photo couverture de Barbara Reid par Ian Crysler
Photo couverture de Beverley Allinson par Susan Gaitskell

Édition publiée par Scholastic Canada Ltd., 123
Newkirk Road, Richmond Hill (Ontario) Canada L4C 3G5.

6 5 4 3 2 1   Imprimé à Hong-Kong   1 2 3 4 5 6/9

Données de catalogage avant publication (Canada)

Allinson, Beverley, 1936-
  [Effie. Français]
Effie

Traduction de: Effie.
ISBN 0-590-74079-2

I. Reid, Barbara, 1957- . II. Titre.
III. Titre: Effie. Français.

PS8551.L55E414 1992   jC813'.54   C91-095493-3
PZ23.A55Ef 1992

Effie vient d'une très nombreuse famille.

C'est une fourmi comme des centaines d'autres,
sauf que les autres ont de petites voix de fourmis.

Effie, elle, parle toujours à tue-tête.

3

Chaque fois qu'elle ouvre la bouche, toutes les fourmis de la fourmilière s'enfuient pour ne pas l'entendre.

Un jour, Effie part à la recherche de quelqu'un qui voudrait bien l'écouter. Bientôt, une chenille approche en se tortillant.

«BELLE JOURNÉE, N'EST-CE PAS?» dit Effie.

C'est bien inutile.
La chenille manque d'exploser
tant elle a hâte de s'enfuir.

Un instant plus tard, un papillon vient se poser près d'elle.

«BONJOUR!» hurle Effie.

Le papillon est emporté très loin et Effie se retrouve toute
seule une fois de plus. Déçue, mais toujours pleine d'espoir,
Effie grimpe le long d'un brin d'herbe pour mieux voir les alentours.

«Y A-T-IL QUELQU'UN À QUI JE POURRAIS PARLER?»
se demande-t-elle.

Sa voix secoue une toile d'araignée, tissée tout près de là. L'araignée s'approche, curieuse de savoir ce qu'elle vient de capturer.

«COMMENT ALLEZ-VOUS? QUI ÊTES-VOUS?» commence Effie.

Effie marche longtemps sans rencontrer personne. Finalement, elle s'arrête pour se reposer.

La toile craque. Sans un mot, l'araignée saute au sol et s'enfuit loin du danger.

À sa grande surprise,
le caillou sur lequel elle s'est
installée étire soudain ses pattes.
«BONJOUR! dit Effie.
ON FAIT UN BRIN DE
CONVERSATION?»

Effrayé, le scarabée sursaute et
se met à tourner comme une toupie
folle. Il retombe sur ses pattes
et s'enfuit à toute vitesse.

Lorsqu'elle rencontre une sauterelle, Effie se contente de lui dire : **«SALUT!»**.

Malgré cela, la sauterelle disparaît.

«IL N'Y A VRAIMENT PERSONNE POUR M'ÉCOUTER?»
crie Effie aux grands arbres.

C'est à ce moment-là que la sauterelle revient
à grands bonds.

«TU AS CHANGÉ D'IDÉE?» dit Effie,
remplie d'espoir.
Mais la sauterelle secoue la tête et se
sauve en zigzaguant.

Puis c'est au tour du scarabée.

«TE REVOICI!» dit Effie en ouvrant les bras.
Mais le scarabée passe en courant, sans dire un mot.

«ES-TU REVENUE POUR ME PARLER?»
demande Effie à l'araignée qui suit les autres.
«Dans un moment pareil?» souffle
l'araignée en filant à toute vitesse.

Le papillon passe lui aussi, à grands coups d'ailes.

La chenille se tortille jusqu'à Effie. «Sauve qui peut!» dit-elle en haletant.

Effie court derrière eux. Elle court jusqu'à ce qu'elle rejoigne

les centaines de fourmis qui s'étaient sauvées, ce matin même.

Elles sont toutes massées autour de la fourmilière,
leurs yeux apeurés tournés vers le ciel.
Effie sent la terre trembler.
Elle voit une ombre couvrir le sol.
Elle lève les yeux.

Une énorme patte va les écraser toutes.

Effie respire à fond.

« **ARRÊTE!** *rugit-elle.* **RESTE LÀ.** »

« *Où ça?* » demande un éléphant, étonné.

«**ICI!** hurle Effie.
REGARDE OÙ TU METS LES PIEDS!»

«**REGARDE OÙ TU METS LES PIEDS!**» reprennent les autres fourmis.

« *Oups!* dit l'éléphant en les apercevant tout à coup. *Mille excuses*», fait-il en se déplaçant d'un pas avec agileté. Effie pousse un cri de joie et les fourmis lancent des acclamations timides. La patte et la trompe de l'éléphant viennent de les rater de peu.

« Qui parle si fort ? » demande l'éléphant.

Effie agite une antenne pour se présenter.
L'éléphant baisse la trompe pour la saluer.

Effie grimpe sur la trompe comme si c'était un escalier
et se retrouve face à face avec l'éléphant.

«JE SUPPOSE QUE TU N'AS PAS LE TEMPS DE ME PARLER?»
demande-t-elle.

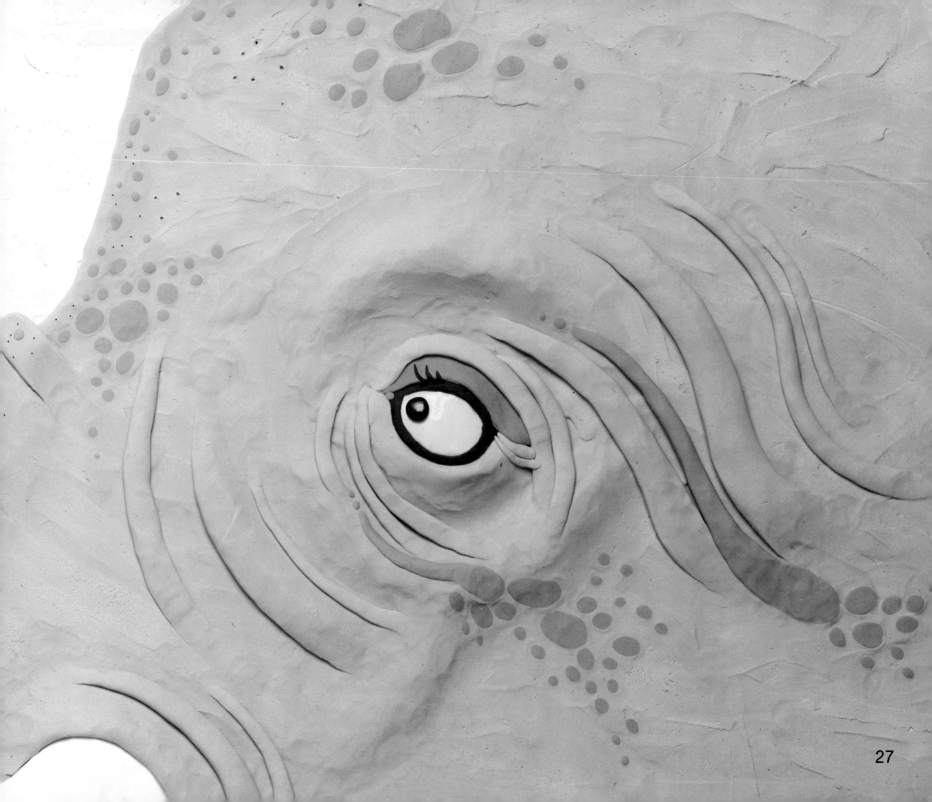

Effie et l'éléphant découvrent vite qu'ils s'aiment énormément.

Ils passent toute la journée à parler.

Pendant des jours, pendant des semaines et des mois,
ils parlent tous les deux de petites et de grandes choses.

Et au bout de quelque temps, on a pu voir des troupeaux d'éléphants
marcher délicatement entre les herbes, surveillant bien leurs
grosses pattes, venir faire la conversation à leurs nouvelles amies.